STEP INTO TABLES

**Elizabeth Gudden
and
Jennifer Johnson**

**Illustrated
by
Leslea Carter**

Prim-Ed Publishing

S$_T$^{E}P into Tables

INTRODUCTION

This method of teaching number facts is both progressive in degree of difficulty and developmental in structure. The system has evolved through practical application in Years 4 – 7.

Research shows that children's instant recall of basic number facts will only progress from the short-term memory (easily forgotten), to the long-term memory through constant practice and reinforcement of the same table.

The *Step Into Tables* book provides both the child and the teacher with a variety of activities and techniques to help the child achieve instant recall.

CONTENTS

S_T^Ep into Tables

TEACHERS NOTES

STAGE ONE
Learning the facts

When introducing table facts to children, it is not necessary to present each of the facts included in the tables from 2 to 10 separately. Prior to Year 4, students should know tables facts involving 1 times, 5 times and 10 times tables. The remaining facts are presented in four ways.

For example, the fact $2 \times 3 = 6$ is presented in these ways:

$$2 \times 3 = 6 \qquad 3 \times 2 = 6 \qquad 6 \div 2 = 3 \qquad 6 \div 3 = 2$$

In this example, students will have studied a fact from the 2 times, 3 times and 6 times tables, as well as using the operations of multiplication and division.

By studying each fact this way, the number of facts to be learnt is reduced to 36.

___

STAGE TWO
Practice sheets
2 x to 10 x tables

The examples in these sheets include every form in which the tables facts may be used, thus providing the student with a stimulating approach to the learning of tables.

The purpose of these sheets is to develop an understanding of the interrelationship among mathematical operations.

___

STAGE THREE
Review sheets

The review sheets are a combination of all the basic facts, including the operations of addition and subtraction.

Addition and subtraction facts can also be studied using the four-way method. For example:

$$4 + 5 = 9 \qquad 5 + 4 = 9 \qquad 9 - 4 = 5 \qquad 9 - 5 = 4$$

The review sheets can be used to:
- (a) increase students' speed and accuracy;
- (b) provide a variety of practice; and
- (c) monitor students' levels of proficiency.

S⊤Ep into Tables

TEACHING STRATEGIES

STAGE ONE
Learning the facts sheets

TEACHER
1. Introduce each fact using the four-way method:
   $3 \times 2 = 6$ $2 \times 3 = 6$ $6 \div 2 = 3$ $6 \div 3 = 2$
   using the wall chart (enlarge page 31 to A3 size) and flash cards.
2. Daily oral drills of four-way method for instant recall.
3. Introduce Stage One sheets.

STUDENT
1. Make own flash cards.
2. Complete Stage One sheets.

HOMEWORK
1. Write facts using the four-way method.
2. Use flash cards to recite facts orally using the four-way method.

STAGE TWO
Practice sheets

TEACHER
1. Copy a class set of a practice sheet.
2. Introduce types of fact forms found on practice sheet on the blackboard.
3. Allow children 5 minutes to complete each half of the practice sheet. (Reduce time as students' proficiency increases.)
4. Daily practice of the same fact sheet recommended for one week.
5. Test and record results weekly.

STUDENT
1. Rule writing paper into two columns.
2. Start at 5 minutes a column and work down to 1 minute a column.
3. Write answers only.
4. Graph results daily (page 33).
5. Correct errors using the four-way method.

HOMEWORK
1. Students complete practice sheet daily.
2. Record time taken for each column.
3. Mark and correct errors using the four-way method.

STAGE THREE
Review sheets

TEACHER
1. Copy a class set of a different review sheet each week.
2. Review using the four-way method to include addition and subtraction.
3. Set a time limit for each column for daily practice.
4. Test and record progress weekly.
5. Refer children experiencing difficulty back to Stage One or Two.

STUDENT
1. Rule writing paper into columns.
2. Write answers only.
3. Mark orally and record results.
4. Correct errors using the four-way method.

HOMEWORK
1. Practice and time review sheets daily.
2. Correct errors using the four-way method.

S⊤Ep into Tables

STAGE ONE

LEARNING THE FACTS

TEACHERS NOTES

When introducing table facts to children, it is not necessary to present each of the facts included in the tables from 2 to 10 separately. Prior to Year 4, students should know tables facts involving 1 times, 5 times and 10 times tables. The remaining facts are presented in four ways.

For example, the fact 2 x 3 = 6 is presented in these ways:

$$2 \times 3 = 6 \qquad 3 \times 2 = 6 \qquad 6 \div 2 = 3 \qquad 6 \div 3 = 2$$

In this example, students will have studied a fact from the 2 times, 3 times and 6 times tables, as well as using the operations of multiplication and division.

By studying each fact this way, the number of facts to be learnt is reduced to 36.

TEACHING STRATEGIES

TEACHER
1. Introduce each fact using the four-way method:
    $$3 \times 2 = 6 \qquad 2 \times 3 = 6 \qquad 6 \div 2 = 3 \qquad 6 \div 3 = 2$$
    using the wall chart (enlarge page 31 to A3 size) and flash cards.
2. Daily oral drills of four-way method for instant recall.
3. Introduce Stage One sheets.

STUDENT
1. Make own flash cards.
2. Complete Stage One sheets.

HOMEWORK
1. Write facts using the four-way method.
2. Use flash cards to recite facts orally using the four-way method.

S_TE_P into Tables

TWO TIMES TABLE

ACTIVITY 1: Colour the multiples of 2.

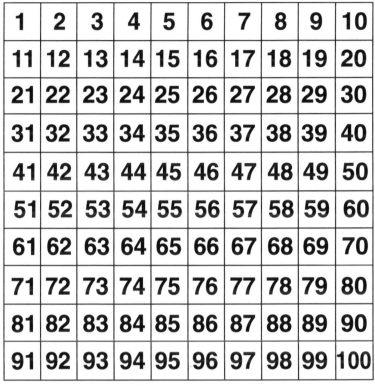

1	2	3	4	5	6	7	8	9	10
11	12	13	14	15	16	17	18	19	20
21	22	23	24	25	26	27	28	29	30
31	32	33	34	35	36	37	38	39	40
41	42	43	44	45	46	47	48	49	50
51	52	53	54	55	56	57	58	59	60
61	62	63	64	65	66	67	68	69	70
71	72	73	74	75	76	77	78	79	80
81	82	83	84	85	86	87	88	89	90
91	92	93	94	95	96	97	98	99	100

x 2 Table

$1 \times 2 = 2$
$2 \times 2 = 4$
$3 \times 2 = 6$
$4 \times 2 = 8$
$5 \times 2 = 10$
$6 \times 2 = 12$
$7 \times 2 = 14$
$8 \times 2 = 16$
$9 \times 2 = 18$
$10 \times 2 = 20$

ACTIVITY 2: Complete and learn the following number facts.

$1 \times 2 =$ _____	$2 \times 1 =$ _____	$2 \div 2 =$ _____	$2 \div 1 =$ _____
$2 \times 2 =$ _____		$4 \div 2 =$ _____	
$3 \times 2 =$ _____	$2 \times 3 =$ _____	$6 \div 2 =$ _____	$6 \div 3 =$ _____
$4 \times 2 =$ _____	$2 \times 4 =$ _____	$8 \div 2 =$ _____	$8 \div 4 =$ _____
$5 \times 2 =$ _____	$2 \times 5 =$ _____	$10 \div 2 =$ _____	$10 \div 5 =$ _____
$6 \times 2 =$ _____	$2 \times 6 =$ _____	$12 \div 2 =$ _____	$12 \div 6 =$ _____
$7 \times 2 =$ _____	$2 \times 7 =$ _____	$14 \div 2 =$ _____	$14 \div 7 =$ _____
$8 \times 2 =$ _____	$2 \times 8 =$ _____	$16 \div 2 =$ _____	$16 \div 8 =$ _____
$9 \times 2 =$ _____	$2 \times 9 =$ _____	$18 \div 2 =$ _____	$18 \div 9 =$ _____
$10 \times 2 =$ _____	$2 \times 10 =$ _____	$20 \div 2 =$ _____	$20 \div 10 =$ _____

STEp into Tables

THREE TIMES TABLE

ACTIVITY 1: Colour the multiples of 3.

1	2	3	4	5	6	7	8	9	10
11	12	13	14	15	16	17	18	19	20
21	22	23	24	25	26	27	28	29	30
31	32	33	34	35	36	37	38	39	40
41	42	43	44	45	46	47	48	49	50
51	52	53	54	55	56	57	58	59	60
61	62	63	64	65	66	67	68	69	70
71	72	73	74	75	76	77	78	79	80
81	82	83	84	85	86	87	88	89	90
91	92	93	94	95	96	97	98	99	100

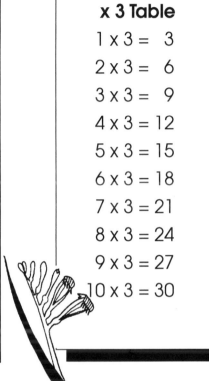

x 3 Table	
$1 \times 3 =$	3
$2 \times 3 =$	6
$3 \times 3 =$	9
$4 \times 3 =$	12
$5 \times 3 =$	15
$6 \times 3 =$	18
$7 \times 3 =$	21
$8 \times 3 =$	24
$9 \times 3 =$	27
$10 \times 3 =$	30

ACTIVITY 2: Complete and learn the following number facts.

$1 \times 3 =$ _____	$3 \times 1 =$ _____	$3 \div 3 =$ _____	$3 \div 1 =$ _____
$2 \times 3 =$ _____	$3 \times 2 =$ _____	$6 \div 3 =$ _____	$6 \div 2 =$ _____
$3 \times 3 =$ _____		$9 \div 3 =$ _____	
$4 \times 3 =$ _____	$3 \times 4 =$ _____	$12 \div 3 =$ _____	$12 \div 4 =$ _____
$5 \times 3 =$ _____	$3 \times 5 =$ _____	$15 \div 3 =$ _____	$15 \div 5 =$ _____
$6 \times 3 =$ _____	$3 \times 6 =$ _____	$18 \div 3 =$ _____	$18 \div 6 =$ _____
$7 \times 3 =$ _____	$3 \times 7 =$ _____	$21 \div 3 =$ _____	$21 \div 7 =$ _____
$8 \times 3 =$ _____	$3 \times 8 =$ _____	$24 \div 3 =$ _____	$24 \div 8 =$ _____
$9 \times 3 =$ _____	$3 \times 9 =$ _____	$27 \div 3 =$ _____	$27 \div 9 =$ _____
$10 \times 3 =$ _____	$3 \times 10 =$ _____	$30 \div 3 =$ _____	$30 \div 10 =$ _____

STEp into Tables

FOUR TIMES TABLE

ACTIVITY 1: Colour the multiples of 4.

1	2	3	4	5	6	7	8	9	10
11	12	13	14	15	16	17	18	19	20
21	22	23	24	25	26	27	28	29	30
31	32	33	34	35	36	37	38	39	40
41	42	43	44	45	46	47	48	49	50
51	52	53	54	55	56	57	58	59	60
61	62	63	64	65	66	67	68	69	70
71	72	73	74	75	76	77	78	79	80
81	82	83	84	85	86	87	88	89	90
91	92	93	94	95	96	97	98	99	100

x 4 Table

$1 \times 4 = 4$
$2 \times 4 = 8$
$3 \times 4 = 12$
$4 \times 4 = 16$
$5 \times 4 = 20$
$6 \times 4 = 24$
$7 \times 4 = 28$
$8 \times 4 = 32$
$9 \times 4 = 36$
$10 \times 4 = 40$

ACTIVITY 2: Complete and learn the following number facts.

$1 \times 4 =$ _____	$4 \times 1 =$ _____	$4 \div 4 =$ _____	$4 \div 1 =$ _____
$2 \times 4 =$ _____	$4 \times 2 =$ _____	$8 \div 4 =$ _____	$8 \div 2 =$ _____
$3 \times 4 =$ _____	$4 \times 3 =$ _____	$12 \div 4 =$ _____	$12 \div 3 =$ _____
$4 \times 4 =$ _____		$16 \div 4 =$ _____	
$5 \times 4 =$ _____	$4 \times 5 =$ _____	$20 \div 4 =$ _____	$20 \div 5 =$ _____
$6 \times 4 =$ _____	$4 \times 6 =$ _____	$24 \div 4 =$ _____	$24 \div 6 =$ _____
$7 \times 4 =$ _____	$4 \times 7 =$ _____	$28 \div 4 =$ _____	$28 \div 7 =$ _____
$8 \times 4 =$ _____	$4 \times 8 =$ _____	$32 \div 4 =$ _____	$32 \div 8 =$ _____
$9 \times 4 =$ _____	$4 \times 9 =$ _____	$36 \div 4 =$ _____	$36 \div 9 =$ _____
$10 \times 4 =$ _____	$4 \times 10 =$ _____	$40 \div 4 =$ _____	$40 \div 10 =$ _____

S⊤Ep into Tables

FIVE TIMES TABLE

ACTIVITY 1: Colour the multiples of 5.

1	2	3	4	5	6	7	8	9	10
11	12	13	14	15	16	17	18	19	20
21	22	23	24	25	26	27	28	29	30
31	32	33	34	35	36	37	38	39	40
41	42	43	44	45	46	47	48	49	50
51	52	53	54	55	56	57	58	59	60
61	62	63	64	65	66	67	68	69	70
71	72	73	74	75	76	77	78	79	80
81	82	83	84	85	86	87	88	89	90
91	92	93	94	95	96	97	98	99	100

x 5 Table

1 x 5 =   5
2 x 5 = 10
3 x 5 = 15
4 x 5 = 20
5 x 5 = 25
6 x 5 = 30
7 x 5 = 35
8 x 5 = 40
9 x 5 = 45
10 x 5 = 50

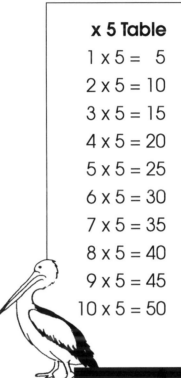

ACTIVITY 2: Complete and learn the following number facts.

1 x 5 = ____	5 x 1 = ____	5 ÷ 5 = ____	5 ÷ 1 = ____
2 x 5 = ____	5 x 2 = ____	10 ÷ 5 = ____	10 ÷ 2 = ____
3 x 5 = ____	5 x 3 = ____	15 ÷ 5 = ____	15 ÷ 3 = ____
4 x 5 = ____	5 x 4 = ____	20 ÷ 5 = ____	20 ÷ 4 = ____
5 x 5 = ____		25 ÷ 5 = ____	25 ÷ 5 = ____
6 x 5 = ____	5 x 6 = ____	30 ÷ 5 = ____	30 ÷ 6 = ____
7 x 5 = ____	5 x 7 = ____	35 ÷ 5 = ____	35 ÷ 7 = ____
8 x 5 = ____	5 x 8 = ____	40 ÷ 5 = ____	40 ÷ 8 = ____
9 x 5 = ____	5 x 9 = ____	45 ÷ 5 = ____	45 ÷ 9 = ____
10 x 5 = ____	5 x 10 = ____	50 ÷ 5 = ____	50 ÷ 10 = ____

STEp into Tables

SIX TIMES TABLE

ACTIVITY 1: Colour the multiples of 6.

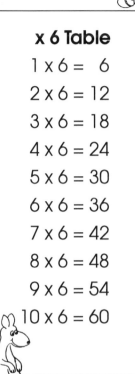

1	2	3	4	5	6	7	8	9	10
11	12	13	14	15	16	17	18	19	20
21	22	23	24	25	26	27	28	29	30
31	32	33	34	35	36	37	38	39	40
41	42	43	44	45	46	47	48	49	50
51	52	53	54	55	56	57	58	59	60
61	62	63	64	65	66	67	68	69	70
71	72	73	74	75	76	77	78	79	80
81	82	83	84	85	86	87	88	89	90
91	92	93	94	95	96	97	98	99	100

x 6 Table

$1 \times 6 = \ \ 6$
$2 \times 6 = 12$
$3 \times 6 = 18$
$4 \times 6 = 24$
$5 \times 6 = 30$
$6 \times 6 = 36$
$7 \times 6 = 42$
$8 \times 6 = 48$
$9 \times 6 = 54$
$10 \times 6 = 60$

ACTIVITY 2: Complete and learn the following number facts.

$1 \times 6 =$ _____	$6 \times \ 1 =$ _____	$6 \div 6 =$ _____	$6 \div \ 1 =$ _____
$2 \times 6 =$ _____	$6 \times \ 2 =$ _____	$12 \div 6 =$ _____	$12 \div \ 2 =$ _____
$3 \times 6 =$ _____	$6 \times \ 3 =$ _____	$18 \div 6 =$ _____	$18 \div \ 3 =$ _____
$4 \times 6 =$ _____	$6 \times \ 4 =$ _____	$24 \div 6 =$ _____	$24 \div \ 4 =$ _____
$5 \times 6 =$ _____	$6 \times \ 5 =$ _____	$30 \div 6 =$ _____	$30 \div \ 5 =$ _____
$6 \times 6 =$ _____		$36 \div 6 =$ _____	
$7 \times 6 =$ _____	$6 \times \ 7 =$ _____	$42 \div 6 =$ _____	$42 \div \ 7 =$ _____
$8 \times 6 =$ _____	$6 \times \ 8 =$ _____	$48 \div 6 =$ _____	$48 \div \ 8 =$ _____
$9 \times 6 =$ _____	$6 \times \ 9 =$ _____	$54 \div 6 =$ _____	$54 \div \ 9 =$ _____
$10 \times 6 =$ _____	$6 \times 10 =$ _____	$60 \div 6 =$ _____	$60 \div 10 =$ _____

STEP into Tables

SEVEN TIMES TABLE

ACTIVITY 1: Colour the multiples of 7.

1	2	3	4	5	6	7	8	9	10
11	12	13	14	15	16	17	18	19	20
21	22	23	24	25	26	27	28	29	30
31	32	33	34	35	36	37	38	39	40
41	42	43	44	45	46	47	48	49	50
51	52	53	54	55	56	57	58	59	60
61	62	63	64	65	66	67	68	69	70
71	72	73	74	75	76	77	78	79	80
81	82	83	84	85	86	87	88	89	90
91	92	93	94	95	96	97	98	99	100

x 7 Table

$1 \times 7 = 7$
$2 \times 7 = 14$
$3 \times 7 = 21$
$4 \times 7 = 28$
$5 \times 7 = 35$
$6 \times 7 = 42$
$7 \times 7 = 49$
$8 \times 7 = 56$
$9 \times 7 = 63$
$10 \times 7 = 70$

ACTIVITY 2: Complete and learn the following number facts.

$1 \times 7 =$ _____	$7 \times 1 =$ _____	$7 \div 7 =$ _____	$7 \div 1 =$ _____
$2 \times 7 =$ _____	7×2 _____	$14 \div 7 =$ _____	$14 \div 2 =$ _____
$3 \times 7 =$ _____	$7 \times 3 =$ _____	$21 \div 7 =$ _____	$21 \div 3 =$ _____
$4 \times 7 =$ _____	$7 \times 4 =$ _____	$28 \div 7 =$ _____	$28 \div 4 =$ _____
$5 \times 7 =$ _____	7×5 _____	$35 \div 7 =$ _____	$35 \div 5 =$ _____
$6 \times 7 =$ _____	$7 \times 6 =$ _____	$42 \div 7 =$ _____	$42 \div 6 =$ _____
$7 \times 7 =$ _____		$49 \div 7 =$ _____	
$8 \times 7 =$ _____	$7 \times 8 =$ _____	$56 \div 7 =$ _____	$56 \div 8 =$ _____
$9 \times 7 =$ _____	$7 \times 9 =$ _____	$63 \div 7 =$ _____	$63 \div 9 =$ _____
$10 \times 7 =$ _____	$7 \times 10 =$ _____	$70 \div 7 =$ _____	$70 \div 10 =$ _____

EIGHT TIMES TABLE

ACTIVITY 1: Colour the multiples of 8.

1	2	3	4	5	6	7	8	9	10
11	12	13	14	15	16	17	18	19	20
21	22	23	24	25	26	27	28	29	30
31	32	33	34	35	36	37	38	39	40
41	42	43	44	45	46	47	48	49	50
51	52	53	54	55	56	57	58	59	60
61	62	63	64	65	66	67	68	69	70
71	72	73	74	75	76	77	78	79	80
81	82	83	84	85	86	87	88	89	90
91	92	93	94	95	96	97	98	99	100

x 8 Table

$1 \times 8 = 8$
$2 \times 8 = 16$
$3 \times 8 = 24$
$4 \times 8 = 32$
$5 \times 8 = 40$
$6 \times 8 = 48$
$7 \times 8 = 56$
$8 \times 8 = 64$
$9 \times 8 = 72$
$10 \times 8 = 80$

ACTIVITY 2: Complete and learn the following number facts.

$1 \times 8 = $ ___	$8 \times 1 = $ ___	$8 \div 8 = $ ___	$8 \div 1 = $ ___
$2 \times 8 = $ ___	$8 \times 2 = $ ___	$16 \div 8 = $ ___	$16 \div 2 = $ ___
$3 \times 8 = $ ___	$8 \times 3 = $ ___	$24 \div 8 = $ ___	$24 \div 3 = $ ___
$4 \times 8 = $ ___	$8 \times 4 = $ ___	$32 \div 8 = $ ___	$32 \div 4 = $ ___
$5 \times 8 = $ ___	$8 \times 5 = $ ___	$40 \div 8 = $ ___	$40 \div 5 = $ ___
$6 \times 8 = $ ___	$8 \times 6 = $ ___	$48 \div 8 = $ ___	$48 \div 6 = $ ___
$7 \times 8 = $ ___	$8 \times 7 = $ ___	$56 \div 8 = $ ___	$46 \div 7 = $ ___
$8 \times 8 = $ ___		$64 \div 8 = $ ___	
$9 \times 8 = $ ___	$8 \times 9 = $ ___	$72 \div 8 = $ ___	$72 \div 9 = $ ___
$10 \times 8 = $ ___	$8 \times 10 = $ ___	$80 \div 8 = $ ___	$80 \div 10 = $ ___

STEP into Tables

NINE TIMES TABLE

ACTIVITY 1: Colour the multiples of 9.

1	2	3	4	5	6	7	8	9	10
11	12	13	14	15	16	17	18	19	20
21	22	23	24	25	26	27	28	29	30
31	32	33	34	35	36	37	38	39	40
41	42	43	44	45	46	47	48	49	50
51	52	53	54	55	56	57	58	59	60
61	62	63	64	65	66	67	68	69	70
71	72	73	74	75	76	77	78	79	80
81	82	83	84	85	86	87	88	89	90
91	92	93	94	95	96	97	98	99	100

x 9 Table

$1 \times 9 = 9$
$2 \times 9 = 18$
$3 \times 9 = 27$
$4 \times 9 = 36$
$5 \times 9 = 45$
$6 \times 9 = 54$
$7 \times 9 = 63$
$8 \times 9 = 72$
$9 \times 9 = 81$
$10 \times 9 = 90$

ACTIVITY 2: Complete and learn the following number facts.

$1 \times 9 =$ ____	$9 \times 1 =$ ____	$9 \div 9 =$ ____	$9 \div 1 =$ ____
$2 \times 9 =$ ____	$9 \times 2 =$ ____	$18 \div 9 =$ ____	$18 \div 2 =$ ____
$3 \times 9 =$ ____	$9 \times 3 =$ ____	$27 \div 9 =$ ____	$27 \div 3 =$ ____
$4 \times 9 =$ ____	$9 \times 4 =$ ____	$36 \div 9 =$ ____	$36 \div 4 =$ ____
$5 \times 9 =$ ____	$9 \times 5 =$ ____	$45 \div 9 =$ ____	$45 \div 5 =$ ____
$6 \times 9 =$ ____	$9 \times 6 =$ ____	$54 \div 9 =$ ____	$54 \div 6 =$ ____
$7 \times 9 =$ ____	$9 \times 7 =$ ____	$63 \div 9 =$ ____	$63 \div 7 =$ ____
$8 \times 9 =$ ____	$9 \times 8 =$ ____	$72 \div 9 =$ ____	$72 \div 8 =$ ____
$9 \times 9 =$ ____		$81 \div 9 =$ ____	
$10 \times 9 =$ ____	$9 \times 10 =$ ____	$90 \div 9 =$ ____	$90 \div 10 =$ ____

STEp into Tables

TEN TIMES TABLE

ACTIVITY 1: Colour the multiples of 10.

1	2	3	4	5	6	7	8	9	10
11	12	13	14	15	16	17	18	19	20
21	22	23	24	25	26	27	28	29	30
31	32	33	34	35	36	37	38	39	40
41	42	43	44	45	46	47	48	49	50
51	52	53	54	55	56	57	58	59	60
61	62	63	64	65	66	67	68	69	70
71	72	73	74	75	76	77	78	79	80
81	82	83	84	85	86	87	88	89	90
91	92	93	94	95	96	97	98	99	100

x 10 Table

$1 \times 10 = 10$
$2 \times 10 = 20$
$3 \times 10 = 30$
$4 \times 10 = 40$
$5 \times 10 = 50$
$6 \times 10 = 60$
$7 \times 10 = 70$
$8 \times 10 = 80$
$9 \times 10 = 90$
$10 \times 10 = 100$

ACTIVITY 2: Complete and learn the following number facts.

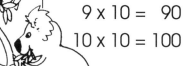

$1 \times 10 =$ _____	$10 \times 1 =$ _____	$10 \div 10 =$ _____	$10 \div 1 =$ _____
$2 \times 10 =$ _____	$10 \times 2 =$ _____	$20 \div 10 =$ _____	$20 \div 2 =$ _____
$3 \times 10 =$ _____	$10 \times 3 =$ _____	$30 \div 10 =$ _____	$30 \div 3 =$ _____
$4 \times 10 =$ _____	$10 \times 4 =$ _____	$40 \div 10 =$ _____	$40 \div 4 =$ _____
$5 \times 10 =$ _____	$10 \times 5 =$ _____	$50 \div 10 =$ _____	$50 \div 5 =$ _____
$6 \times 10 =$ _____	$10 \times 6 =$ _____	$60 \div 10 =$ _____	$60 \div 6 =$ _____
$7 \times 10 =$ _____	$10 \times 7 =$ _____	$70 \div 10 =$ _____	$70 \div 7 =$ _____
$8 \times 10 =$ _____	$10 \times 8 =$ _____	$80 \div 10 =$ _____	$80 \div 8 =$ _____
$9 \times 10 =$ _____	$10 \times 9 =$ _____	$90 \div 10 =$ _____	$90 \div 9 =$ _____
$10 \times 10 =$ _____		$100 \div 10 =$ _____	

S⊤Ep into Tables

STAGE TWO

TEACHERS NOTES

2 x to 10 x tables

The examples in these sheets include every form in which the tables facts may be used, thus providing the student with a stimulating approach to the learning of tables.

The purpose of these sheets is to develop an understanding of the interrelationship among mathematical operations.

TEACHING STRATEGIES

TEACHER
1. Copy a class set of a practice sheet.
2. Introduce types of fact forms found on practice sheet on the blackboard.
3. Allow children 5 minutes to complete each half of the practice sheet.

    (Reduce time as students' proficiency increases.)
4. Daily practice of the same fact sheet recommended for one week.
5. Test and record results weekly.

STUDENT
1. Rule writing paper into two columns.
2. Start at 5 minutes a column and work down to 1 minute a column.
3. Write answers only.
4. Graph results daily (page 33).
5. Correct errors using the four-way method.

HOMEWORK
1. Students complete practice sheet daily.
2. Record time taken for each column.
3. Mark and correct errors using the four-way method.

STEp into Tables

TWO TIMES TABLE

1. 3 x 2 = _____

2. 2 x 10 = _____

3. 20 ÷ 10 = _____

4. 20 ÷ 2 = _____

5. 2 + 2 + 2 = ☐ x 2

6. 8 ÷ 4 = _____

7. 2) 14 _____

8. 7) 14 _____

9. 1 x 2 = _____

10. 10 x 2 = _____

11. 100 x 2 = _____

12. 1 000 x 2 = _____

13. 16 ÷ 2 = _____

14. 9 x 2 = _____

15. 2 x 2 = _____

16. ☐ x 2 = 8

17. 4 ÷ 2 = _____

18. 2 x 5 = _____

19. 2 + 2 + 2 + 2 = _____

20. 2 x ☐ = 20

21. 1/2 of 16 = _____

22. 1/2 of 12 = _____

23. 1/2 of 18 = _____

24. 6 ÷ 2 = _____

25. 12 ÷ 6 = _____

1. 2 x 8 = _____

2. 2) 2 _____

3. 2) 20 _____

4. 2) 200 _____

5. ☐ x 2 = 6

6. 2 x ☐ = 0

7. 5 x 2 = _____

8. How many 2s in 14? _____

9. 1/2 of 14 = _____

10. 10 ÷ 5 = _____

11. 0 x 2 = _____

12. 16 ÷ 8 = _____

13. (2 x 2) x 2 = _____

14. 2) 16 _____

15. 4 x 2 = _____

16. 6 ÷ 3 = _____

17. 4 x 2 = ☐ x 4

18. 0 = ☐ x 2

19. 10 ÷ 2 = _____

20. 6 x 2 = _____

21. 2 x 6 = _____

22. How many 2s in 18? _____

23. 1/2 of 20 = _____

24. ☐ x 2 = 2 x 9

25. 2 x 7 = ☐ x 2

STEP into Tables

THREE TIMES TABLE

1. 2 x 3 = _____

2. 3 x 10 = _____

3. 30 ÷ 10 = _____

4. 30 ÷ 3 = _____

5. 3 + 3 + 3 = ☐ x 3

6. 6 x 3 = _____

7. 3)21 _____

8. 7)21 _____

9. 1 x 3 = _____

10. 10 x 3 = _____

11. 100 x 3 = _____

12. 1 000 x 3 = _____

13. 1/3 of 18 = _____

14. 5 x 3 = _____

15. 1/3 of 15 = _____

16. 9 x 3 = _____

17. 3 ÷ 3 = _____

18. (3 x 3) x 3 = _____

19. 3 + 3 + 3 + 3 = ☐ x 3

20. 24 ÷ 3 = _____

21. 3 x ☐ = 21

22. 1/3 of 27 = _____

23. 3 x 5 = _____

24. 27 ÷ 9 = _____

25. 3 x 3 = _____

1. 3)3 _____

2. 3)30 _____

3. 3)300 _____

4. ☐ x 3 = 6

5. 3 x ☐ = 0

6. 24 = 8 x ☐

7. How many 3s in 9? _____

8. 1/3 of 9 = _____

9. 0 x 3 = _____

10. 24 ÷ 8 = _____

11. 3 x 6 = _____

12. 8)24 _____

13. 4 x 3 = _____

14. 6 ÷ 3 = _____

15. 4 x 3 = ☐ x 4

16. 0 = ☐ x 3

17. 21 = 7 x ☐

18. 12 ÷ 4 = _____

19. ☐ x 3 = 3 x 9

20. How many 3s in 18? _____

21. How many 3s in 30? _____

22. 1/3 of 30 = _____

23. 1/3 of 21 = _____

24. 3 x 8 = _____

25. 6 ÷ 2 = _____

STEP into Tables

FOUR TIMES TABLE

1. 2 x 4 = _____
2. 4 x 10 = _____
3. 40 ÷ 10 = _____
4. 40 ÷ 4 = _____
5. 4 + 4 + 4 + 4 = ☐ x 4
6. 4 x 2 = _____
7. 4)28 _____
8. 7)28 _____
9. 1 x 4 = _____
10. 10 x 4 = _____
11. 100 x 4 = _____
12. 1 000 x 4 = _____
13. 1/4 of 16 = _____
14. 16 ÷ 4 = _____
15. 9 x 4 = _____
16. 4 x 4 = _____
17. 8 ÷ 4 = _____
18. 4 + 4 + 4 = _____
19. ☐ x 4 = 12
20. 24 ÷ 4 = _____
21. 4 x ☐ = 32
22. 1/4 of 28 = _____
23. 4 x 1 = _____
24. 36 ÷ 9 = _____
25. 4 x 7 = _____

1. 4)4 _____
2. 4)40 _____
3. 4)400 _____
4. ☐ x 4 = 8
5. 4 x 0 = _____
6. 24 = 6 x ☐
7. How many 4s in 12? _____
8. 1/4 of 20 = _____
9. 5 x 4 = _____
10. ☐ x 4 = 0
11. 32 ÷ 8 = _____
12. 4 x (4 x 2) = _____
13. 8)32 _____
14. 4 x 3 = _____
15. 20 ÷ 4 = _____
16. 6 x 4 = _____
17. 4 x 5 = 5 x ☐
18. 36 ÷ 9 = _____
19. 28 = 4 x ☐
20. 32 = 8 x ☐
21. 36 ÷ 4 = _____
22. ☐ x 4 = 4 x 9
23. How many 4s in 24? _____
24. 1/4 of 40 = _____
25. 1/4 of 20 = _____

S⊤Ep into Tables

FIVE TIMES TABLE

1. 1 x 5 = _____

2. 2 x 5 = _____

3. 3 x 5 = _____

4. 4 x 5 = _____

5. 6 x 5 = _____

6. 5 = ☐ x 5

7. 5 ⟌ 10 _____

8. 20 ÷ 4 = _____

9. ☐ x ☐ = 25

10. How many 5s in 40? _____

11. 10 x 5 = _____

12. 50 ÷ 5 = _____

13. 40 = 8 x ☐

14. 35 ÷ 7 = _____

15. 5 x 0 = _____

16. 45 = 5 x ☐

17. 15 ÷ 5 = _____

18. 5 x 3 = _____

19. 5 + 5 + 5 + 5 + 5 = ☐ x 5

20. 25 ÷ 5 = _____

21. 5 x ☐ = 35

22. 40 ÷ 8 = _____

23. 1/5 of 20 = _____

24. 5 + 5 + 5 = _____

25. 1/5 of 30 = _____

1. 10 ÷ 2 = _____

2. 5 x ☐ = 25

3. 45 ÷ 9 = _____

4. ☐ x 5 = 5 x 9

5. 50 ÷ 10 = _____

6. 5 x 10 = _____

7. 5 x 100 = _____

8. 5 x 1 000 = _____

9. 9 ⟌ 45 _____

10. 6 lots of 5 = _____

11. 7 lots of 5 = _____

12. 1/5 of 15 = _____

13. 5 x (5 x 2) = _____

14. 4 x 5 = _____

15. 5 x 6 = ☐ x 5 _____

16. ☐ x 5 = 40

17. 9 x 5 = _____

18. 5 x 6 = _____

19. 40 ÷ 8 = _____

20. 5 x ☐ = 40

21. How many 5s in 35? _____

22. 5 ÷ 1 = _____

23. 5 + 5 + 5 + 5 + 5 + 5 = _____

24. How many 9s in 45? _____

25. How many 5s in 50? _____

STEP into Tables

SIX TIMES TABLE

1. 1 x 6 = _____
2. 2 x 6 = _____
3. 6 x 3 = _____
4. 6 x 4 = _____
5. 5 x 6 = _____
6. 6 x 0 = _____
7. 12 ÷ 6 = _____
8. How many 6s in 12? _____
9. 6 ÷ 6 = _____
10. 6 + 6 + 6 = ☐ x 6 _____
11. ☐ x 6 = 42 _____
12. 1/6 of 18 = _____
13. ☐ x 6 = 48 _____
14. 6 x ☐ = 54 _____
15. 6 x ☐ = 0 _____
16. 6 x 7 = _____
17. 7 x 6 = _____
18. 6 x 10 = _____
19. 6 x 1 000 = _____
20. 25 ÷ 5 = _____
21. 6) 24 _____
22. ☐ x 6 = 60 _____
23. 9 x ☐ = 54 _____
24. 6 x 5 = _____
25. 30 ÷ 5 = _____

1. 6 x ☐ = 30 _____
2. 5 x 6 = _____
3. 6 + 6 + 6 + 6 + 6 = _____
4. 1/6 of 36 = _____
5. 36 ÷ 6 = _____
6. 6) 36 _____
7. 6 x 9 = _____
8. 7 x ☐ = 42 _____
9. 1/6 of 54 = _____
10. 6 x 30 = _____
11. 6 x 300 = _____
12. 1/6 of 48 = _____
13. 18 ÷ 6 = _____
14. 10 x 6 = _____
15. ☐ x ☐ = 36 _____
16. 1/6 of 24 = _____
17. 60 ÷ 6 = _____
18. 60 ÷ 10 = _____
19. 1/6 of 6 = _____
20. 6) 48 _____
21. 2 x 6 = _____
22. 3 x 6 = _____
23. 6) 18 _____
24. 6 x 2 = _____
25. 6) 24 _____

STEP into Tables

SEVEN TIMES TABLE

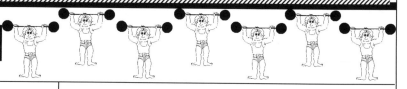

1. 1 x 7 = _____

2. 2 x 7 = _____

3. 7 x 3 = _____

4. 7 x 4 = _____

5. 5 x 7 = _____

6. 7 x 0 = _____

7. 14 ÷ 7 = _____

8. How many 7s in 14? _____

9. 7 ÷ 7 = _____

10. 7 + 7 + 7 + 7 = _____

11. 7 x ☐ = 42 _____

12. 1/7 of 21 = _____

13. ☐ x 7 = 63

14. 7 x ☐ = 56

15. 7 x ☐ = 0

16. 7 x 6 = _____

17. 6 x 7 = _____

18. 7 x 10 = _____

19. 7 x 100 = _____

20. 7 x 1 000 = _____

21. 7 ⟍ 28 _____

22. ☐ x 7 = 28

23. 7 x 8 = _____

24. ☐ x 7 = 49 _____

25. 35 ÷ 5 = _____

1. 7 x 5 = _____

2. 7 x ☐ = 35

3. 8 x 7 = _____

4. 7 + 7 + 7 + 7 + 7 + 7 + 7 =

5. 1/7 of 49 = _____

6. 49 ÷ 7 = _____

7. 7 ⟍ 49 _____

8. 7 x ☐ = 42

9. 1/7 of 63 = _____

10. 7 x 40 = _____

11. 7 x 400 = _____

12. 1/7 of 56 = _____

13. 21 ÷ 7 = _____

14. 9 x 7 = _____

15. 7 x 9 = _____

16. ☐ x ☐ = 49 _____

17. 1/7 of 28 = _____

18. 70 ÷ 7 = _____

19. 10 x 7 = _____

20. 1/7 of 7 = _____

21. 7 ⟍ 56 _____

22. 2 x 7 = _____

23. 3 x 7 = _____

24. 70 ÷ 10 = _____

25. 7 x 2 = ☐ x 7

EIGHT TIMES TABLE

1. 8 x 1 = _____

2. 8 x 10 = _____

3. 8 x 5 = _____

4. 2 x 8 = _____

5. 1/8 of 72 = _____

6. ☐ x 8 = 56 _____

7. 8 x ☐ = 48 _____

8. 1/8 of 24 = _____

9. 8 x (2 x 3) = _____

10. (3 x 0) x 8 = _____

11. 1/8 of 48 = _____

12. How many 8s in 16? _____

13. 8 ⟍ 24 _____

14. 5 x 8 = _____

15. 8 x 6 = _____

16. 8 x 60 = _____

17. 8 x 600 = _____

18. How many 8s in 32? _____

19. ☐ x ☐ = 64

20. 8 ⟍ 80 _____

21. 64 ÷ 8 = _____

22. 0 x 8 = _____

23. 80 x 0 = _____

24. 1/8 x 8 = _____

25. (4 x 2) x 8 = _____

1. 8 x ☐ = 72

2. 4 x ☐ = 32

3. ☐ x △ = 56

4. 8 ⟍ 32 _____

5. 8 ⟍ 40 _____

6. (3 x 3) x 8 = _____

7. 20 x 8 = _____

8. 8 x 50 = _____

9. 8 + 8 + 8 + 8 + 8 + 8 = _____

10. 4 x 8 = _____

11. 24 ÷ 3 = _____

12. 8 x (10 x 4) = _____

13. 8 + 8 + 8 = ☐ x 8

14. ☐ x 8 = 72

15. 8 x 3 = _____

16. 8 x 80 = _____

17. 8 x 100 = _____

18. 8 x 300 = _____

19. (3 x 2) x 8 = _____

20. (4 x 5) x (5 x 0) = _____

21. 7 x 8 = _____

22. 8 ⟍ 48 _____

23. 1/8 of 80 = _____

24. 8 into 72 = _____

25. 80 ÷ 10 = _____

NINE TIMES TABLE

1. 2 x 9 = _____

2. 9 x 10 = _____

3. 9 x 5 = _____

4. 45 ÷ 9 = _____

5. 1/9 of 81 = _____

6. ☐ x 9 = 63

7. 9 x ☐ = 54

8. 1/9 of 27 = _____

9. 9 x (2 x 3) = _____

10. (3 x 10) x 9 = _____

11. 1/9 of 54 = _____

12. How many 9s in 18? _____

13. 9)27 _____

14. 9 x 2 = _____

15. 9 x 6 = _____

16. 9 x 600 = _____

17. 9 x 60 = _____

18. How many 4s in 36? _____

19. ☐ x ☐ = 81

20. 9)90 _____

21. 9)900 _____

22. 0 x 9 = _____

23. 90 x 0 = _____

24. 1/9 x 9 = _____

25. (3 x 3) x 9 = _____

1. 9 x ☐ = 72

2. 4 x ☐ = 36

3. ☐ x 9 = 63

4. 9)36 _____

5. 7)63 _____

6. (3 x 2) x 9 = _____

7. 20 x 9 = _____

8. 9 x 50 = _____

9. 9 + 9 + 9 + 9 + 9 + 9 = _____

10. How many 9s in 18? _____

11. 27 ÷ 3 = _____

12. 9 x (10 x 4) = _____

13. 9 + 9 + 9 = ☐ x 9

14. ☐ x 8 = 72

15. 8 x 9 = _____

16. 90 ÷ 10 = _____

17. 9 x 90 = _____

18. 9 x 100 = _____

19. 9 x 300 = _____

20. (4 x 2) x 9 = _____

21. (4 x 5) x (9 x 0) = _____

22. 7 x 9 = _____

23. 9)45 _____

24. 1/9 of 90 = _____

25. 9)72 _____

STEP into Tables

TEN TIMES TABLE

1. 3 x 10 = _____
2. 10 x 4 = _____
3. 1 x 10 = _____
4. 10 x 0 = _____
5. 10 x 9 = _____
6. 6 x 10 = _____
7. 10 x 6 = _____
8. 10 x 10 = _____
9. 1/10 of 60 = _____
10. 1/10 of 50 = _____
11. How many 10s in 50? _____
12. 30 x 10 = _____
13. 1/10 of 90 = _____
14. 10)70 _____
15. 7 lots of 10 = _____
16. £1.00 ÷ 10 = _____
17. 8 x 10 = _____
18. 10 + 10 + 10 = _____
19. 10)70 _____
20. 40 ÷ 10 = _____
21. 10 x 7 = _____
22. 20 x 10 = _____
23. 200 x 10 = _____
24. 4 lots of 10 = _____
25. 10 + 10 = 2 x ☐

1. 10 + 10 + 10 + 10 = △ x ☐
2. 1/10 of 10 = _____
3. 10 x 90 = _____
4. 300 x 10 = _____
5. 10)50 _____
6. 10 ÷ 10 = _____
7. 10 x 2 = _____
8. 60 ÷ 6 = _____
9. £5.00 ÷ 10 = _____
10. 20p x 10 = _____
11. 1 m x 10 = _____
12. ten lots of ten = _____
13. 1/10 of 30 _____
14. 1/10 of 20 _____
15. 7 lots of 10 = _____
16. £1.00 ÷ 10 = _____
17. (10 x 10) x 10 = _____
18. (2 x 4) x 10 = _____
19. (2 x 5) x (10 x 5) = _____
20. 10p x 10 = £☐
21. H.M. pence in £4.00? _____
22. H.M. pence in £1.90? _____
23. Change 350p to £☐
24. 80 ÷ 10 = _____
25. 90 ÷ 9 = _____

STEP into Tables

TEACHERS NOTES

The review sheets are a combination of all the basic facts, including the operations of addition and subtraction.

Addition and subtraction facts can also be studied using the four-way method. For example:

$$4 + 5 = 9 \qquad 5 + 4 = 9 \qquad 9 - 4 = 5 \qquad 9 - 5 = 4$$

The review sheets can be used to:
- (a) increase students' speed and accuracy;
- (b) provide a variety of practice; and
- (c) monitor students' levels of proficiency.

TEACHING STRATEGIES

TEACHER
1. Copy a class set of a different review sheet each week.
2. Review using the four-way method to include addition and subtraction.
3. Set a time limit for each column for daily practice.
4. Test and record progress weekly.
5. Refer children experiencing difficulty back to Stage One or Two.

STUDENT
1. Rule writing paper into columns.
2. Write answers only.
3. Mark orally and record results.
4. Correct errors using the four-way method.

HOMEWORK
1. Practice and time review sheets daily.
2. Correct errors using the four-way method.

STEP into Tables

REVIEW SHEET 1

Record answers for final test on this sheet.

Time allowed per column _____

(1) 6 x 6 =____	(1) 35 ÷ 7 =____	(1) 7 + 7 =____	(1) 15 – 6 =____
(2) 10 x 1 =____	(2) 49 ÷ 7 =____	(2) 5 + 5 =____	(2) 13 – 4 =____
(3) 4 x 2 =____	(3) 35 ÷ 5 =____	(3) 5 + 7 =____	(3) 12 – 6 =____
(4) 3 x 5 =____	(4) 20 ÷ 4 =____	(4) 10 + 10 =____	(4) 20 – 10 =____
(5) 8 x 7 =____	(5) 42 ÷ 6 =____	(5) 3 + 8 =____	(5) 11 – 8 =____
(6) 3 x 10 =____	(6) 10 ÷ 5 =____	(6) 7 + 6 =____	(6) 12 – 5 =____
(7) 1 x 1 =____	(7) 28 ÷ 4 =____	(7) 5 + 9 =____	(7) 15 – 4 =____
(8) 10 x 6 =____	(8) 70 ÷ 10 =____	(8) 7 + 10 =____	(8) 11 – 4 =____
(9) 5 x 2 =____	(9) 72 ÷ 8 =____	(9) 8 + 5 =____	(9) 13 – 5 =____
(10) 4 x 3 =____	(10) 8 ÷ 8 =____	(10) 7 + 9 =____	(10) 17 – 10 =____
(11) 6 x 9 =____	(11) 80 ÷ 10 =____	(11) 8 + 2 =____	(11) 14 – 5 =____
(12) 1 x 9 =____	(12) 12 ÷ 3 =____	(12) 10 + 9 =____	(12) 11 – 3 =____
(13) 10 x 7 =____	(13) 64 ÷ 8 =____	(13) 9 + 6 =____	(13) 13 – 3 =____
(14) 1 x 5 =____	(14) 72 ÷ 8 =____	(14) 7 + 8 =____	(14) 10 – 7 =____
(15) 6 x 3 =____	(15) 27 ÷ 9 =____	(15) 9 + 3 =____	(15) 16 – 6 =____
(16) 2 x 8 =____	(16) 35 ÷ 7 =____	(16) 3 + 10 =____	(16) 11 – 7 =____
(17) 8 x 9 =____	(17) 24 ÷ 4 =____	(17) 5 + 8 =____	(17) 13 – 6 =____
(18) 5 x 10 =____	(18) 30 ÷ 5 =____	(18) 8 + 10 =____	(18) 12 – 4 =____
(19) 3 x 6 =____	(19) 12 ÷ 2 =____	(19) 10 + 6 =____	(19) 13 – 7 =____
(20) 7 x 8 =____	(20) 40 ÷ 4 =____	(20) 7 + 4 =____	(20) 14 – 7 =____

Number correct		**Number correct**		**Number correct**		**Number correct**	
Monday		Monday		Monday		Monday	
Tuesday		Tuesday		Tuesday		Tuesday	
Wednesday		Wednesday		Wednesday		Wednesday	
Thursday		Thursday		Thursday		Thursday	
Friday		Friday		Friday		Friday	

STEP into Tables

REVIEW SHEET 2

Record answers for final test on this sheet.

Time allowed per column _____

(1) 7 x 6 =_____	(1) 32 ÷ 8 =_____	(1) 5 + 6 =_____	(1) 17 – 8 =_____
(2) 3 x 1 =_____	(2) 81 ÷ 9 =_____	(2) 7 + 3 =_____	(2) 11 – 6 =_____
(3) 1 x 2 =_____	(3) 18 ÷ 6 =_____	(3) 8 + 9 =_____	(3) 11 – 10 =_____
(4) 6 x 2 =_____	(4) 63 ÷ 7 =_____	(4) 9 + 1 =_____	(4) 14 – 7 =_____
(5) 2 x 5 =_____	(5) 90 ÷ 10 =_____	(5) 4 + 7 =_____	(5) 10 – 5 =_____
(6) 10 x 8 =_____	(6) 16 ÷ 2 =_____	(6) 7 + 8 =_____	(6) 17 – 9 =_____
(7) 8 x 2 =_____	(7) 27 ÷ 3 =_____	(7) 5 + 10 =_____	(7) 12 – 7 =_____
(8) 3 x 9 =_____	(8) 56 ÷ 8 =_____	(8) 8 + 4 =_____	(8) 16 – 10 =_____
(9) 9 x 6 =_____	(9) 14 ÷ 2 =_____	(9) 1 + 10 =_____	(9) 19 – 9 =_____
(10) 7 x 7 =_____	(10) 5 ÷ 5 =_____	(10) 10 + 3 =_____	(10) 16 – 8 =_____
(11) 4 x 6 =_____	(11) 30 ÷ 10 =_____	(11) 8 + 6 =_____	(11) 15 – 9 =_____
(12) 9 x 7 =_____	(12) 28 ÷ 7 =_____	(12) 10 + 10 =_____	(12) 19 – 10 =_____
(13) 1 x 4 =_____	(13) 21 ÷ 3 =_____	(13) 6 + 7 =_____	(13) 11 – 9 =_____
(14) 7 x 9 =_____	(14) 63 ÷ 9 =_____	(14) 3 + 9 =_____	(14) 13 – 8 =_____
(15) 2 x 7 =_____	(15) 24 ÷ 6 =_____	(15) 7 + 7 =_____	(15) 10 – 2 =_____
(16) 10 x 2 =_____	(16) 7 ÷ 7 =_____	(16) 7 + 4 =_____	(16) 13 – 6 =_____
(17) 8 x 10 =_____	(17) 36 ÷ 9 =_____	(17) 8 + 3 =_____	(17) 12 – 3 =_____
(18) 5 x 3 =_____	(18) 56 ÷ 7 =_____	(18) 5 + 8 =_____	(18) 15 – 7 =_____
(19) 3 x 2 =_____	(19) 54 ÷ 6 =_____	(19) 9 + 7 =_____	(19) 13 – 5 =_____
(20) 5 x 8 =_____	(20) 9 ÷ 3 =_____	(20) 9 + 5 =_____	(20) 14 – 5 =_____

Number correct	**Number correct**	**Number correct**	**Number correct**
Monday	Monday	Monday	Monday
Tuesday	Tuesday	Tuesday	Tuesday
Wednesday	Wednesday	Wednesday	Wednesday
Thursday	Thursday	Thursday	Thursday
Friday	Friday	Friday	Friday

STEP into Tables

REVIEW SHEET 3

Record answers for final test on this sheet.

Time allowed per column _____

(1) 9 x 5 = ____	(1) 36 ÷ 6 = ____	(1) 9 + 9 = ____	(1) 18 – 9 = ____
(2) 3 x 7 = ____	(2) 63 ÷ 9 = ____	(2) 8 + 7 = ____	(2) 13 – 6 = ____
(3) 8 x 9 = ____	(3) 45 ÷ 5 = ____	(3) 9 + 8 = ____	(3) 12 – 9 = ____
(4) 5 x 5 = ____	(4) 35 ÷ 5 = ____	(4) 7 + 6 = ____	(4) 14 – 6 = ____
(5) 7 x 6 = ____	(5) 36 ÷ 4 = ____	(5) 5 + 7 = ____	(5) 12 – 3 = ____
(6) 6 x 3 = ____	(6) 48 ÷ 6 = ____	(6) 8 + 4 = ____	(6) 16 – 8 = ____
(7) 4 x 8 = ____	(7) 54 ÷ 6 = ____	(7) 6 + 5 = ____	(7) 17 – 9 = ____
(8) 5 x 6 = ____	(8) 15 ÷ 5 = ____	(8) 8 + 8 = ____	(8) 12 – 5 = ____
(9) 4 x 9 = ____	(9) 28 ÷ 4 = ____	(9) 7 + 5 = ____	(9) 14 – 9 = ____
(10) 7 x 7 = ____	(10) 42 ÷ 7 = ____	(10) 7 + 7 = ____	(10) 13 – 8 = ____
(11) 9 x 9 = ____	(11) 56 ÷ 7 = ____	(11) 8 + 5 = ____	(11) 14 – 5 = ____
(12) 6 x 6 = ____	(12) 48 ÷ 8 = ____	(12) 6 + 9 = ____	(12) 17 – 8 = ____
(13) 3 x 9 = ____	(13) 40 ÷ 5 = ____	(13) 9 + 5 = ____	(13) 15 – 8 = ____
(14) 4 x 7 = ____	(14) 28 ÷ 7 = ____	(14) 6 + 7 = ____	(14) 13 – 5 = ____
(15) 5 x 8 = ____	(15) 64 ÷ 8 = ____	(15) 5 + 4 = ____	(15) 16 – 9 = ____
(16) 8 x 6 = ____	(16) 42 ÷ 6 = ____	(16) 4 + 7 = ____	(16) 13 – 9 = ____
(17) 6 x 8 = ____	(17) 56 ÷ 8 = ____	(17) 9 + 6 = ____	(17) 17 – 8 = ____
(18) 7 x 5 = ____	(18) 24 ÷ 8 = ____	(18) 6 + 6 = ____	(18) 15 – 6 = ____
(19) 9 x 4 = ____	(19) 81 ÷ 9 = ____	(19) 7 + 4 = ____	(19) 13 – 7 = ____
(20) 2 x 9 = ____	(20) 27 ÷ 9 = ____	(20) 9 + 4 = ____	(20) 16 – 7 = ____

Number correct

Monday

Tuesday

Wednesday

Thursday

Friday

Number correct

Monday

Tuesday

Wednesday

Thursday

Friday

Number correct

Monday

Tuesday

Wednesday

Thursday

Friday

Number correct

Monday

Tuesday

Wednesday

Thursday

Friday

STEP into Tables

REVIEW SHEET 4

Record answers for final test on this sheet.

Time allowed per column _____

(1) 4 x 8 = ____	(1) 27 ÷ 9 = ____	(1) 8 + 7 = ____	(1) 17 – 9 = ____
(2) 5 x 7 = ____	(2) 54 ÷ 6 = ____	(2) 7 + 6 = ____	(2) 15 – 6 = ____
(3) 6 x 6 = ____	(3) 28 ÷ 4 = ____	(3) 6 + 5 = ____	(3) 13 – 8 = ____
(4) 7 x 9 = ____	(4) 48 ÷ 6 = ____	(4) 7 + 4 = ____	(4) 16 – 7 = ____
(5) 7 x 6 = ____	(5) 63 ÷ 7 = ____	(5) 9 + 7 = ____	(5) 14 – 6 = ____
(6) 5 x 8 = ____	(6) 81 ÷ 9 = ____	(6) 8 + 6 = ____	(6) 12 – 5 = ____
(7) 9 x 8 = ____	(7) 45 ÷ 9 = ____	(7) 7 + 5 = ____	(7) 15 – 8 = ____
(8) 9 x 4 = ____	(8) 21 ÷ 7 = ____	(8) 9 + 8 = ____	(8) 13 – 6 = ____
(9) 8 x 7 = ____	(9) 25 ÷ 5 = ____	(9) 9 + 6 = ____	(9) 11 – 5 = ____
(10) 9 x 9 = ____	(10) 20 ÷ 4 = ____	(10) 8 + 5 = ____	(10) 18 – 9 = ____
(11) 9 x 6 = ____	(11) 36 ÷ 9 = ____	(11) 9 + 5 = ____	(11) 14 – 5 = ____
(12) 8 x 8 = ____	(12) 40 ÷ 5 = ____	(12) 8 + 4 = ____	(12) 13 – 9 = ____
(13) 8 x 3 = ____	(13) 42 ÷ 6 = ____	(13) 9 + 3 = ____	(13) 13 – 7 = ____
(14) 5 x 5 = ____	(14) 56 ÷ 7 = ____	(14) 8 + 9 = ____	(14) 15 – 7 = ____
(15) 6 x 8 = ____	(15) 72 ÷ 9 = ____	(15) 4 + 9 = ____	(15) 12 – 6 = ____
(16) 7 x 7 = ____	(16) 64 ÷ 8 = ____	(16) 6 + 7 = ____	(16) 14 – 8 = ____
(17) 8 x 9 = ____	(17) 49 ÷ 7 = ____	(17) 7 + 8 = ____	(17) 16 – 9 = ____
(18) 4 x 7 = ____	(18) 35 ÷ 5 = ____	(18) 6 + 9 = ____	(18) 16 – 8 = ____
(19) 5 x 6 = ____	(19) 32 ÷ 4 = ____	(19) 4 + 8 = ____	(19) 13 – 5 = ____
(20) 4 x 5 = ____	(20) 36 ÷ 6 = ____	(20) 9 + 9 = ____	(20) 15 – 9 = ____

Number correct	**Number correct**	**Number correct**	**Number correct**
Monday	Monday	Monday	Monday
Tuesday	Tuesday	Tuesday	Tuesday
Wednesday	Wednesday	Wednesday	Wednesday
Thursday	Thursday	Thursday	Thursday
Friday	Friday	Friday	Friday

S⊤Ep into Tables

REVIEW SHEET 5

Record answers for final test on this sheet.

Time allowed per column _____

(1) 3 x 9 = ____	(1) 36 ÷ 9 = ____	(1) 8 + 8 = ____	(1) 11 – 5 = ____
(2) 7 x 4 = ____	(2) 48 ÷ 6 = ____	(2) 6 + 2 = ____	(2) 13 – 6 = ____
(3) 6 x 8 = ____	(3) 25 ÷ 5 = ____	(3) 7 + 4 = ____	(3) 15 – 8 = ____
(4) 7 x 9 = ____	(4) 72 ÷ 8 = ____	(4) 8 + 5 = ____	(4) 12 – 7 = ____
(5) 10 x 7 = ____	(5) 56 ÷ 8 = ____	(5) 9 + 7 = ____	(5) 14 – 6 = ____
(6) 4 x 8 = ____	(6) 27 ÷ 9 = ____	(6) 8 + 7 = ____	(6) 17 – 9 = ____
(7) 5 x 7 = ____	(7) 54 ÷ 6 = ____	(7) 7 + 6 = ____	(7) 15 – 6 = ____
(8) 6 x 6 = ____	(8) 28 ÷ 4 = ____	(8) 6 + 5 = ____	(8) 13 – 8 = ____
(9) 4 x 9 = ____	(9) 48 ÷ 8 = ____	(9) 7 + 9 = ____	(9) 16 – 7 = ____
(10) 7 x 6 = ____	(10) 63 ÷ 7 = ____	(10) 6 + 7 = ____	(10) 14 – 8 = ____
(11) 5 x 8 = ____	(11) 64 ÷ 8 = ____	(11) 6 + 9 = ____	(11) 12 – 5 = ____
(12) 8 x 4 = ____	(12) 35 ÷ 5 = ____	(12) 8 + 3 = ____	(12) 18 – 9 = ____
(13) 4 x 6 = ____	(13) 72 ÷ 9 = ____	(13) 5 + 6 = ____	(13) 13 – 4 = ____
(14) 2 x 9 = ____	(14) 24 ÷ 6 = ____	(14) 7 + 8 = ____	(14) 11 – 7 = ____
(15) 3 x 5 = ____	(15) 32 ÷ 4 = ____	(15) 9 + 9 = ____	(15) 16 – 8 = ____
(16) 4 x 5 = ____	(16) 36 ÷ 6 = ____	(16) 8 + 6 = ____	(16) 12 – 9 = ____
(17) 5 x 6 = ____	(17) 18 ÷ 3 = ____	(17) 7 + 5 = ____	(17) 17 – 8 = ____
(18) 6 x 7 = ____	(18) 36 ÷ 4 = ____	(18) 7 + 7 = ____	(18) 13 – 5 = ____
(19) 7 x 8 = ____	(19) 81 ÷ 9 = ____	(19) 6 + 8 = ____	(19) 11 – 6 = ____
(20) 8 x 9 = ____	(20) 63 ÷ 9 = ____	(20) 8 + 4 = ____	(20) 16 – 9 = ____

Number correct	**Number correct**	**Number correct**	**Number correct**
Monday	Monday	Monday	Monday
Tuesday	Tuesday	Tuesday	Tuesday
Wednesday	Wednesday	Wednesday	Wednesday
Thursday	Thursday	Thursday	Thursday
Friday	Friday	Friday	Friday

S$_T$E$_P$ into Tables

REVIEW SHEET 6

Record answers for final test on this sheet.

Time allowed per column _____

(1) 4 x 5 = ____	(1) 36 ÷ 6 = ____	(1) 8 + 8 = ____	(1) 11 – 3 = ____
(2) 5 x 6 = ____	(2) 18 ÷ 3 = ____	(2) 7 + 5 = ____	(2) 13 – 6 = ____
(3) 6 x 7 = ____	(3) 36 ÷ 4 = ____	(3) 7 + 7 = ____	(3) 13 – 8 = ____
(4) 7 x 8 = ____	(4) 81 ÷ 9 = ____	(4) 6 + 5 = ____	(4) 14 – 6 = ____
(5) 8 x 9 = ____	(5) 63 ÷ 7 = ____	(5) 8 + 4 = ____	(5) 11 – 5 = ____
(6) 4 x 6 = ____	(6) 54 ÷ 6 = ____	(6) 5 + 7 = ____	(6) 10 – 4 = ____
(7) 5 x 7 = ____	(7) 45 ÷ 9 = ____	(7) 7 + 6 = ____	(7) 15 – 6 = ____
(8) 6 x 8 = ____	(8) 27 ÷ 3 = ____	(8) 9 + 8 = ____	(8) 12 – 5 = ____
(9) 7 x 9 = ____	(9) 32 ÷ 8 = ____	(9) 8 + 7 = ____	(9) 18 – 9 = ____
(10) 8 x 8 = ____	(10) 72 ÷ 8 = ____	(10) 9 + 9 = ____	(10) 14 – 9 = ____
(11) 9 x 9 = ____	(11) 56 ÷ 7 = ____	(11) 8 + 5 = ____	(11) 16 – 9 = ____
(12) 6 x 6 = ____	(12) 48 ÷ 8 = ____	(12) 6 + 9 = ____	(12) 15 – 8 = ____
(13) 3 x 9 = ____	(13) 40 ÷ 5 = ____	(13) 9 + 5 = ____	(13) 12 – 8 = ____
(14) 4 x 7 = ____	(14) 28 ÷ 4 = ____	(14) 6 + 7 = ____	(14) 17 – 8 = ____
(15) 5 x 8 = ____	(15) 64 ÷ 8 = ____	(15) 5 + 8 = ____	(15) 11 – 7 = ____
(16) 6 x 9 = ____	(16) 49 ÷ 7 = ____	(16) 9 + 7 = ____	(16) 12 – 6 = ____
(17) 7 x 7 = ____	(17) 42 ÷ 6 = ____	(17) 8 + 3 = ____	(17) 10 – 8 = ____
(18) 4 x 8 = ____	(18) 35 ÷ 7 = ____	(18) 7 + 4 = ____	(18) 12 – 3 = ____
(19) 5 x 9 = ____	(19) 30 ÷ 5 = ____	(19) 6 + 8 = ____	(19) 11 – 4 = ____
(20) 3 x 6 = ____	(20) 24 ÷ 6 = ____	(20) 9 + 2 = ____	(20) 12 – 7 = ____

Number correct	Number correct	Number correct	Number correct
Monday	Monday	Monday	Monday
Tuesday	Tuesday	Tuesday	Tuesday
Wednesday	Wednesday	Wednesday	Wednesday
Thursday	Thursday	Thursday	Thursday
Friday	Friday	Friday	Friday

REVIEW SHEET 7

Record answers for final test on this sheet.

Time allowed per column _____

(1) 5 x 8 = ____	(1) 64 ÷ 8 = ____	(1) 6 + 9 = ____	(1) 12 – 5 = ____
(2) 7 x 4 = ____	(2) 25 ÷ 5 = ____	(2) 8 + 3 = ____	(2) 17 – 9 = ____
(3) 4 x 6 = ____	(3) 72 ÷ 8 = ____	(3) 5 + 7 = ____	(3) 13 – 8 = ____
(4) 7 x 9 = ____	(4) 24 ÷ 6 = ____	(4) 7 + 8 = ____	(4) 11 – 7 = ____
(5) 3 x 5 = ____	(5) 32 ÷ 4 = ____	(5) 9 + 9 = ____	(5) 16 – 8 = ____
(6) 5 x 6 = ____	(6) 56 ÷ 7 = ____	(6) 6 + 4 = ____	(6) 12 – 3 = ____
(7) 6 x 6 = ____	(7) 42 ÷ 6 = ____	(7) 8 + 8 = ____	(7) 14 – 8 = ____
(8) 9 x 5 = ____	(8) 63 ÷ 9 = ____	(8) 6 + 8 = ____	(8) 12 – 9 = ____
(9) 8 x 4 = ____	(9) 35 ÷ 5 = ____	(9) 7 + 7 = ____	(9) 13 – 6 = ____
(10) 9 x 3 = ____	(10) 21 ÷ 3 = ____	(10) 5 + 9 = ____	(10) 15 – 9 = ____
(11) 8 x 6 = ____	(11) 42 ÷ 7 = ____	(11) 8 + 7 = ____	(11) 14 – 5 = ____
(12) 6 x 3 = ____	(12) 56 ÷ 8 = ____	(12) 7 + 6 = ____	(12) 17 – 8 = ____
(13) 7 x 5 = ____	(13) 24 ÷ 8 = ____	(13) 6 + 5 = ____	(13) 15 – 6 = ____
(14) 9 x 9 = ____	(14) 81 ÷ 9 = ____	(14) 7 + 4 = ____	(14) 13 – 5 = ____
(15) 2 x 9 = ____	(15) 27 ÷ 9 = ____	(15) 8 + 4 = ____	(15) 16 – 9 = ____
(16) 7 x 6 = ____	(16) 54 ÷ 6 = ____	(16) 7 + 5 = ____	(16) 14 – 6 = ____
(17) 9 x 4 = ____	(17) 48 ÷ 6 = ____	(17) 8 + 6 = ____	(17) 12 – 7 = ____
(18) 3 x 7 = ____	(18) 72 ÷ 9 = ____	(18) 9 + 7 = ____	(18) 15 – 8 = ____
(19) 8 x 5 = ____	(19) 36 ÷ 6 = ____	(19) 8 + 5 = ____	(19) 13 – 7 = ____
(20) 7 x 7 = ____	(20) 14 ÷ 2 = ____	(20) 9 + 8 = ____	(20) 11 – 5 = ____

Number correct	**Number correct**	**Number correct**	**Number correct**
Monday	Monday	Monday	Monday
Tuesday	Tuesday	Tuesday	Tuesday
Wednesday	Wednesday	Wednesday	Wednesday
Thursday	Thursday	Thursday	Thursday
Friday	Friday	Friday	Friday

STEP into Tables

REVIEW SHEET 8

Record answers for final test on this sheet.

Time allowed per column _____

(1) 9 x 6 = _____	(1) 36 ÷ 9 = _____	(1) 9 + 5 = _____	(1) 14 – 5 = _____
(2) 8 x 8 = _____	(2) 40 ÷ 5 = _____	(2) 8 + 4 = _____	(2) 13 – 9 = _____
(3) 8 x 3 = _____	(3) 42 ÷ 7 = _____	(3) 9 + 3 = _____	(3) 13 – 7 = _____
(4) 5 x 5 = _____	(4) 56 ÷ 7 = _____	(4) 8 + 9 = _____	(4) 15 – 7 = _____
(5) 6 x 8 = _____	(5) 72 ÷ 9 = _____	(5) 4 + 9 = _____	(5) 12 – 6 = _____
(6) 7 x 7 = _____	(6) 64 ÷ 8 = _____	(6) 6 + 7 = _____	(6) 14 – 8 = _____
(7) 8 x 7 = _____	(7) 14 ÷ 7 = _____	(7) 7 + 8 = _____	(7) 16 – 9 = _____
(8) 4 x 7 = _____	(8) 35 ÷ 5 = _____	(8) 6 + 9 = _____	(8) 16 – 8 = _____
(9) 5 x 6 = _____	(9) 32 ÷ 4 = _____	(9) 4 + 8 = _____	(9) 13 – 5 = _____
(10) 4 x 5 = _____	(10) 36 ÷ 6 = _____	(10) 9 + 9 = _____	(10) 15 – 9 = _____
(11) 6 x 9 = _____	(11) 49 ÷ 7 = _____	(11) 9 + 7 = _____	(11) 14 – 6 = _____
(12) 7 x 4 = _____	(12) 42 ÷ 6 = _____	(12) 8 + 3 = _____	(12) 12 – 7 = _____
(13) 4 x 8 = _____	(13) 35 ÷ 7 = _____	(13) 7 + 4 = _____	(13) 15 – 8 = _____
(14) 5 x 9 = _____	(14) 30 ÷ 5 = _____	(14) 6 + 8 = _____	(14) 13 – 6 = _____
(15) 3 x 6 = _____	(15) 24 ÷ 6 = _____	(15) 6 + 2 = _____	(15) 11 – 3 = _____
(16) 7 x 6 = _____	(16) 54 ÷ 6 = _____	(16) 7 + 5 = _____	(16) 14 – 9 = _____
(17) 9 x 4 = _____	(17) 48 ÷ 6 = _____	(17) 8 + 6 = _____	(17) 12 – 5 = _____
(18) 3 x 7 = _____	(18) 72 ÷ 8 = _____	(18) 9 + 4 = _____	(18) 15 – 6 = _____
(19) 8 x 5 = _____	(19) 36 ÷ 4 = _____	(19) 8 + 5 = _____	(19) 13 – 8 = _____
(20) 6 x 7 = _____	(20) 14 ÷ 2 = _____	(20) 9 + 8 = _____	(20) 11 – 5 = _____

Number correct	**Number correct**	**Number correct**	**Number correct**
Monday	Monday	Monday	Monday
Tuesday	Tuesday	Tuesday	Tuesday
Wednesday	Wednesday	Wednesday	Wednesday
Thursday	Thursday	Thursday	Thursday
Friday	Friday	Friday	Friday

STEP into Tables

REVIEW SHEET 9

Record answers for final test on this sheet.

Time allowed per column _____

(1) 6 x 6 = _____	(1) 15 ÷ 3 = _____	(1) 5 + 6 = _____	(1) 16 − 9 = _____
(2) 7 x 8 = _____	(2) 81 ÷ 9 = _____	(2) 6 + 7 = _____	(2) 13 − 5 = _____
(3) 6 x 5 = _____	(3) 70 ÷ 10 = _____	(3) 9 + 5 = _____	(3) 15 − 6 = _____
(4) 8 x 8 = _____	(4) 21 ÷ 7 = _____	(4) 6 + 9 = _____	(4) 17 − 8 = _____
(5) 8 x 3 = _____	(5) 32 ÷ 4 = _____	(5) 8 + 5 = _____	(5) 14 − 5 = _____
(6) 5 x 8 = _____	(6) 18 ÷ 9 = _____	(6) 8 + 6 = _____	(6) 12 − 5 = _____
(7) 9 x 8 = _____	(7) 45 ÷ 9 = _____	(7) 7 + 5 = _____	(7) 15 − 8 = _____
(8) 9 x 4 = _____	(8) 28 ÷ 7 = _____	(8) 9 + 8 = _____	(8) 13 − 6 = _____
(9) 8 x 7 = _____	(9) 25 ÷ 5 = _____	(9) 9 + 6 = _____	(9) 11 − 5 = _____
(10) 9 x 9 = _____	(10) 20 ÷ 4 = _____	(10) 8 + 3 = _____	(10) 18 − 9 = _____
(11) 4 x 6 = _____	(11) 54 ÷ 6 = _____	(11) 5 + 7 = _____	(11) 12 − 3 = _____
(12) 5 x 7 = _____	(12) 45 ÷ 5 = _____	(12) 7 + 6 = _____	(12) 14 − 6 = _____
(13) 6 x 8 = _____	(13) 27 ÷ 3 = _____	(13) 9 + 3 = _____	(13) 12 − 9 = _____
(14) 7 x 9 = _____	(14) 32 ÷ 8 = _____	(14) 8 + 7 = _____	(14) 13 − 8 = _____
(15) 4 x 8 = _____	(15) 72 ÷ 8 = _____	(15) 9 + 9 = _____	(15) 15 − 7 = _____
(16) 5 x 6 = _____	(16) 56 ÷ 7 = _____	(16) 6 + 4 = _____	(16) 12 − 8 = _____
(17) 6 x 7 = _____	(17) 42 ÷ 6 = _____	(17) 8 + 8 = _____	(17) 14 − 8 = _____
(18) 9 x 5 = _____	(18) 63 ÷ 9 = _____	(18) 6 + 8 = _____	(18) 12 − 7 = _____
(19) 8 x 4 = _____	(19) 35 ÷ 5 = _____	(19) 7 + 7 = _____	(19) 13 − 4 = _____
(20) 9 x 3 = _____	(20) 21 ÷ 3 = _____	(20) 5 + 9 = _____	(20) 15 − 9 = _____

Number correct	**Number correct**	**Number correct**	**Number correct**
Monday	Monday	Monday	Monday
Tuesday	Tuesday	Tuesday	Tuesday
Wednesday	Wednesday	Wednesday	Wednesday
Thursday	Thursday	Thursday	Thursday
Friday	Friday	Friday	Friday

S⊤Eᴘ into Tables

THE 36 BASIC FACTS

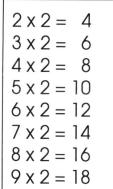

2 x 2 = 4
3 x 2 = 6
4 x 2 = 8
5 x 2 = 10
6 x 2 = 12
7 x 2 = 14
8 x 2 = 16
9 x 2 = 18

STEP
INTO
TABLES
SKILLS
WITH
EASE

3 x 3 = 9
4 x 3 = 12
5 x 3 = 15
6 x 3 = 18
7 x 3 = 21
8 x 3 = 24
9 x 3 = 27

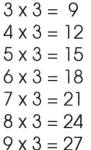

4 x 4 = 16
5 x 4 = 20
6 x 4 = 24
7 x 4 = 28
8 x 4 = 32
9 x 4 = 36

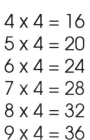

5 x 5 = 25
6 x 5 = 30
7 x 5 = 35
8 x 5 = 40
9 x 5 = 45

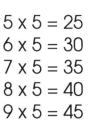

6 x 6 = 36
7 x 6 = 42
8 x 6 = 48
9 x 6 = 54

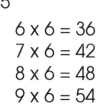

7 x 7 = 49
8 x 7 = 56
9 x 7 = 63

8 x 8 = 64
9 x 8 = 72

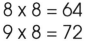

9 x 9 = 81

S⊤Ep into Tables

FLASH CARDS

Each child should make his or her own set of the 36 table facts into flash cards. These can be used at school and at home.

Each flash card will show one of the basic facts on the front, with that same fact written in the four-way method on the reverse.

Example:

Front

2 x 3 =

Reverse

2 x 3 = 6   6 ÷ 2 = 3
3 x 2 = 6   6 ÷ 3 = 2

Strategies for use

1. Teacher-directed
Teacher shows the front of a flash card. Recite the four-way method as:
(a) a class;
(b) a group;
(c) individually.

2. Student-directed
Children work in pairs or small groups. One child shows the front of a flash card to another child, who must recite the fact in the four-way method.

3. Correcting practice and review sheets
Select only the flash cards relating to the basic facts in which errors were made. Practice orally using the four-way method.

4. At home
Children can use the above strategies to practise at home.

S~T~E~p into Tables

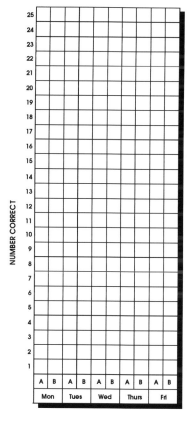

_____ x table

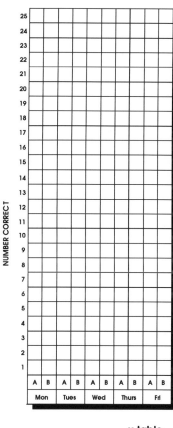

_____ x table

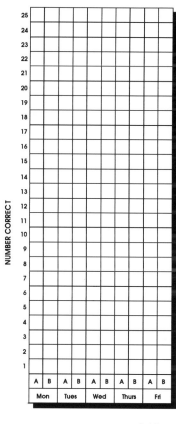

_____ x table

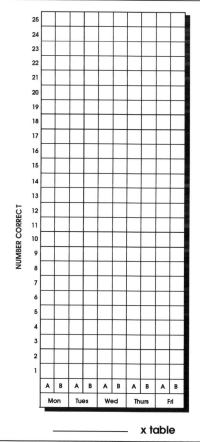

_____ x table

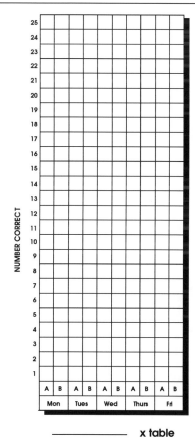

_____ x table

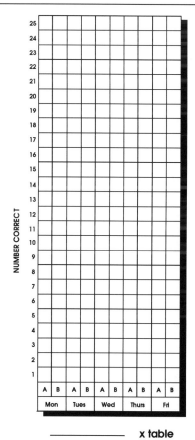

_____ x table